D1097898

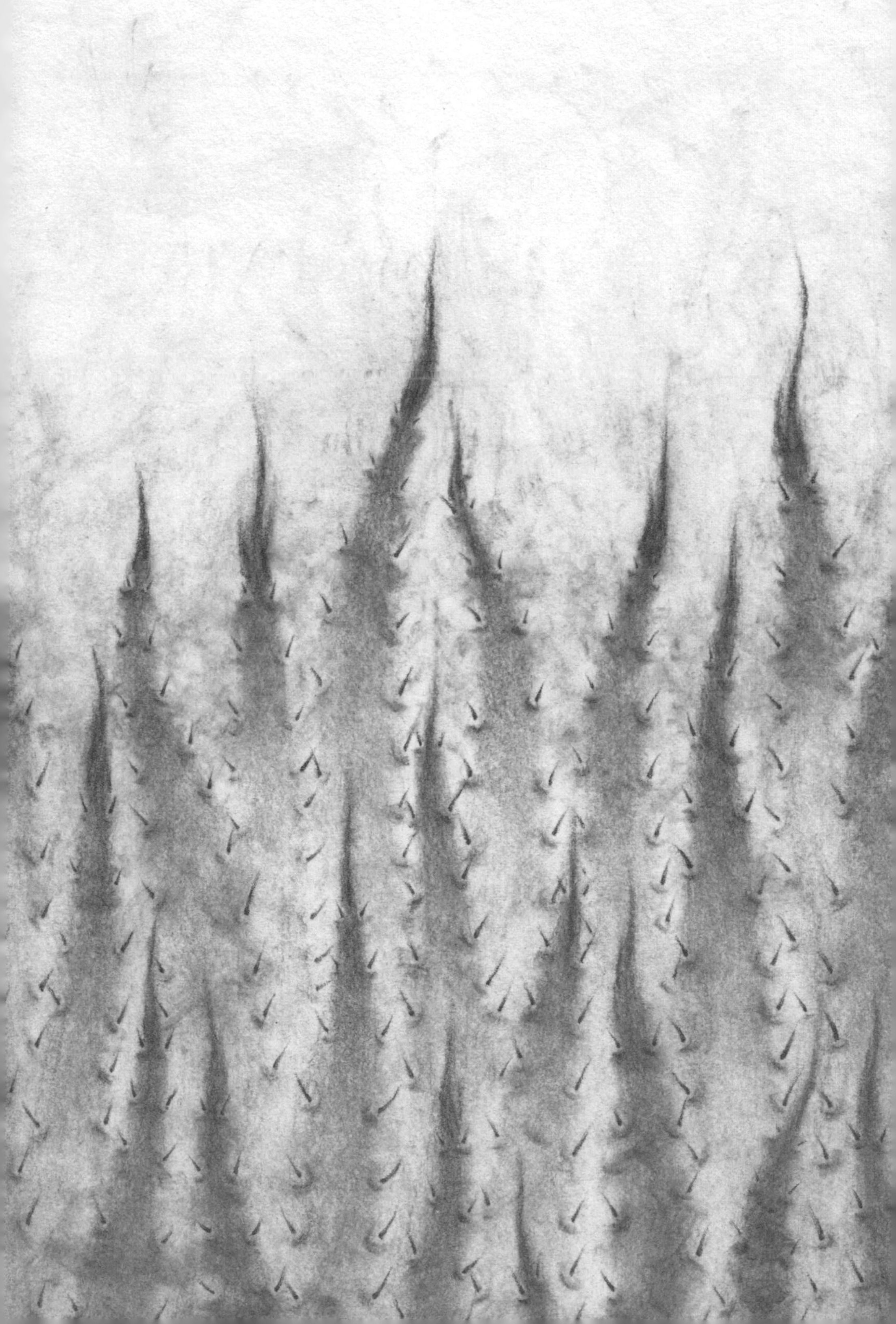

El pozo de los ratones

Kimichime i oztotlkali

Corona, Pascuala
El pozo de los ratones = Kimichime i oztotlkali. Edición bilingüe español - náhuatl / Pascuala Corona ; ilus. de David Daniel Álvarez Hernández ; trad. de Mardonio Carballo Manuel. — México : FCE, Secretaría de Cultura, 2016
[56] p. : ilus. ; 26 × 15 cm — (Colec. Los Especiales de A la Orilla del Viento)
ISBN: 978-607-16-4130-4 (FCE)
ISBN: 978-607-745-373-4 (Secretaría de Cultura)

1. Literatura infantil 2. Indios de México 3. Náhuatl - Texto I. Álvarez Hernández, David Daniel, il. II. Carballo Manuel, Mardonio, tr. III. Ser. IV. t.

LC PZ7 Dewey 808.068 C245p

Distribución mundial

El pozo de los ratones

Primera edición, 2016

Coedición: Fondo de Cultura Económica/Secretaría de Cultura

Traducción del español al náhuatl en su variante de la Huasteca veracruzana

D. R. © 2016, Fondo de Cultura Económica
Carretera Picacho Ajusco, 227; C.P. 14738 Ciudad de México
www.fondodeculturaeconomica.com
Comentarios: librosparaninos@fondodeculturaeconomica.com
Tel.: (55)5449-1871.

D. R. © 2016, Secretaría de Cultura
Dirección General de Publicaciones
Avenida Paseo de la Reforma, 175; C.P. 06500 Ciudad de México
www.cultura.gob.mx

Colección dirigida por Socorro Venegas
Edición: Angélica Antonio Monroy
Diseño: Miguel Venegas Geffroy

ISBN 978-607-16-4130-4 (FCE)
ISBN 978-607-745-373-4 (Secretaría de Cultura)

Se terminó de imprimir y encuadernar en agosto de 2016 en Impresora y Encuadernadora Progreso, S.A. de C.V. (IEPSA), calzada San Lorenzo 244; C.P. 09830 Ciudad de México.

El tiraje fue de 13 300 ejemplares.

Impreso en México • *Printed in Mexico*

Pascuala Corona David Daniel Álvarez

El pozo de los ratones

Kimichime i oztotlkali

traducción de
Mardonio Carballo

Pues que éstos eran un rey y una reina que tenían un solo hijo, y un mal día doña Pancha la hechicera, por envidias, encantó al príncipe en sapo; y por más brujerías que le hicieron, el niño no recuperaba su forma humana y fue quedándose sapo. Así pasaron los años hasta que creció y le vino en gana casarse, pero como era sapo ninguna muchacha lo quería.

Onkayaya ze ueyi tlanauatini uan i ziua pan ze ueyichinanko. Ya ki piayan ze i kone. Ze okichpil. Nana Pancha, ze ziuanauali ax ki kualitayaya nopa tlanauatime uan ki pajchiuili i kone. Ki temazolikuepki. Ki pajchiuiliayan uan ax ueliayan zempa ki okichpilchiuan ne i kone. Kejnopa mo telpokachijki. Temazolitelpokatlchijki uan ki nejki mo ziuajtiz. Tlauel mo kuezouayaya pampa yon ze ichpokatl ki nekiaya mo namijtiz iuan ni temazolitelpokatl.

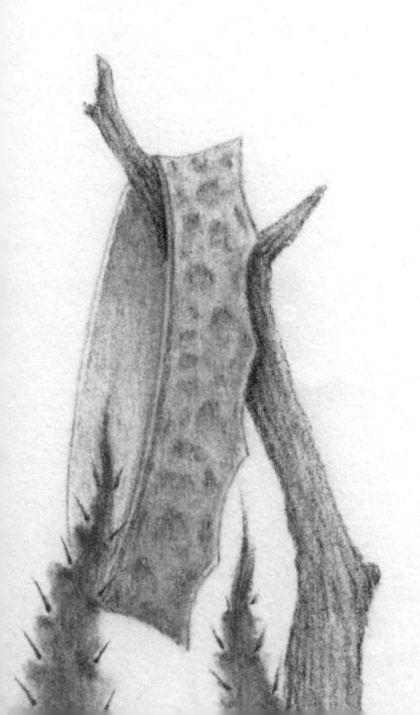

Sucedió que en el reino aquel vivía también un herrero muy pobre que tenía tres hijas muy bonitas y, como pobre que era y como el interés tiene pies, pensó que casando a su hija mayor con el sapo había de mejorar en gran manera; la llamó y se lo dijo. La niña no quería, pero el herrero la convenció diciéndole:

—Tú cásate y verás, a poco lo matas y recogemos la herencia.

Nojkia pan nopa chinanko mo chantijtoyaya ze tatatzin, ze tepoztekitijketl tlen nelia ti kijneliz, yo zen tomin ki pia, tlauel tlamazejtok ni tatatzin uan ya ayok ki nekiaya tlamazeuaz yaka ki ijli i ziuakone, nopa tlen tepipi:

—Tlauel ti tlamazeuan xi mo namijti iuan nopa temazolitelpokatl, uan keman mo tlayoualchiuaz tij mijtiz; uan kejnopa ti mo kauilizen nochi i tomintzin.

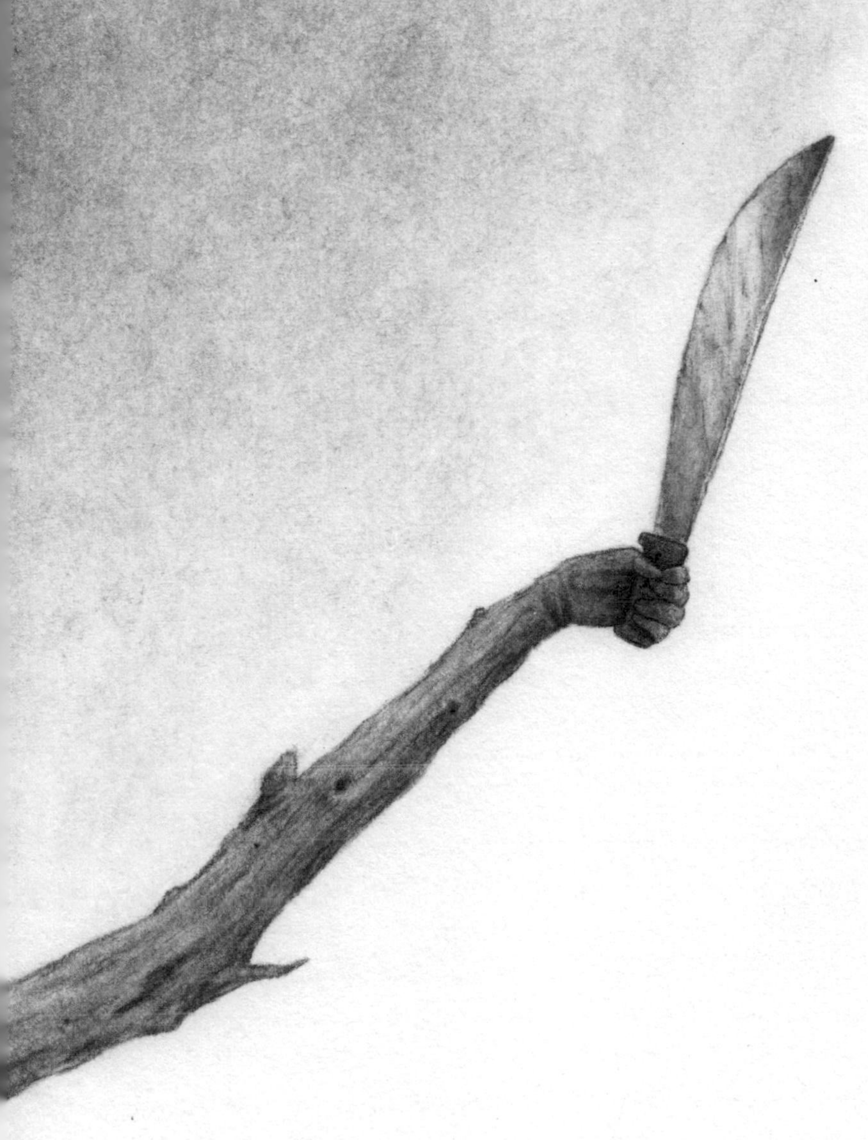

Pues que la niña dijo que sí; se hicieron las bodas y fue la mujer del sapo. Pero allí tienen ustedes que en la noche la niña esperó a que el sapo se durmiera y que saca tamaño machete que traía por lema: "Cuando este animal te pica, no hay remedio en la botica".

¡Kena! ki ijto ni ichpoka; uan mo namijti iuan ni temazolitelpokatl, mo namijtijken, onkak iljuitl uan pakiliztli. Katiotlak, ni ichpoka, keman ni temazoli kochito, yajki ki kuito ze ueyimachete tlen ki piaya ze tlaijkuiloli pan i tepoz: "Keman ni tekuani mitz tlankechiz ax tij kaziz pajtli, yon pajtli ti ueliz tij koaz".

Y que al ir a matar al sapo, el sapo se despierta y el machete se regresa de volido y se le clava a la niña; la niña da de gritos, se presenta la guardia, y en castigo por atentar contra la vida de su señor la echan al "pozo de los ratones", que era un pozo donde echaban al que delinquía y los ratones se lo comían, como se comieron a la niña.

Keman ni ichpokatzin ki nekiaya ki mijtiz ni temazoli, ni temazoli izajtejki uan nopa ueyimachete mo kuepki uan ki tejki ni ichpoka; tzajtziaya ni ichpoka; ualajen topilme uan ki uikaken kan onkayaya ze oztol tlen ki piaya miak kimichime, ze "kimichime i oztotlkali" kan ki uikayayan tlen tlachteltejketl, tlen tlachtelme; nochi tlen ax kuali tlachiuayayan pan nopa chinanko. Nopa kimichimen ki kuajken nopa ichpoka. Ajuiak.

Pasado el tiempo volvieron los reyes a buscarle novia al príncipe sapo y el herrero convenció a su segunda hija de que se casara con el príncipe, diciéndole como a la primera:

—Tú cásate y verás, a poco lo matas y recogemos la herencia.

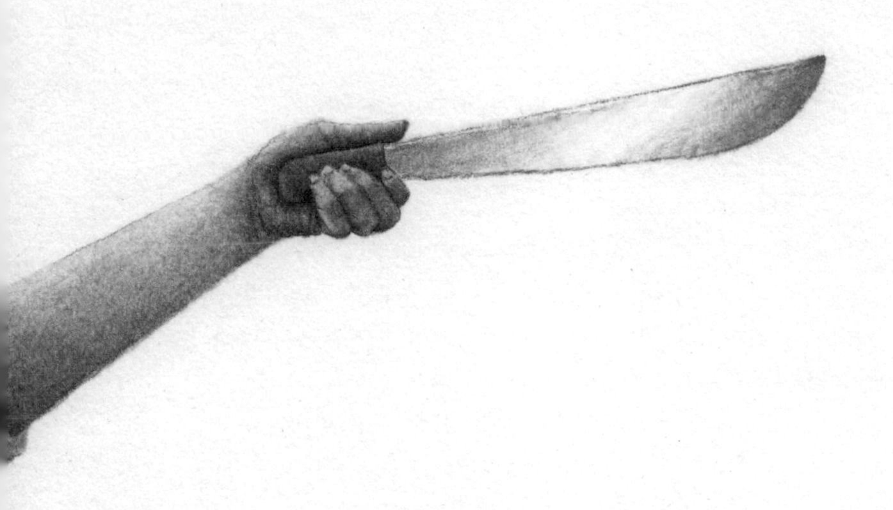

Panok miak tonalme uan nopa ueyitlanauatime zempa ki nekiayan ma mo ziuajti i temazolitelpokatlkone, uan nopa totlayi tlen tepoztekitijketl ki ijli zeyok i ziuakone ma mo namijti iuan:

—Tlauel ti tlamazeuan xi mo namijti iuan nopa temazolitelpokatl, uan keman mo tlatiz tonali tij mijtiz uan kejnopa ti mo kauilizen nochi i tomintzin.

Y se casó, pero sucedió lo mismo que con la primera, que al tratar de clavarle un machete que traía por lema: "Cuando la muerte te desafía, conserva su sangre fría", el machete se volvió de retache partiéndole el corazón.

A sus gritos acudió la guardia y, una vez presa, la echaron de castigo al "pozo de los ratones" y éstos se la comieron enterita, como a su hermana.

Y para no cansarlos les diré que todo pasó como endenantes.

Uan mo namijtijken. Uan keman ni ichpoka ki nejki ki mijtiz ni temazoli ka ze ueyimachete, ni ueyimachete no ki juajlikayaya ze tlaijkuiloli: "Keman mijkaziuatzin uala yontlen ki kuezouilia" ni ueyimachete mo kuepki uan ki tejtekili ni ichpoka i yolo.

Ualajken topilme, uan ki itzkijken ni ichpoka, ki tzakuajken kan kimichime i chan uan ki kuajken ni ichpoka ken ki kuajken i ziuaijnin. Ajuiak.

Uan zempayok ti peualtizen ni to zanil.

Que los reyes buscaron novia para el príncipe sapo y que el herrero convenció a su tercera hija de que se casara con el sapo, diciéndole:

—Tú cásate y verás, a poco lo matas y recogemos la herencia.

Pero lo distinto estuvo en que al sacar la niña el machete para matar al sapo, se fijó en el lema que traía, y al ver que decía: "Soy amigo de los buenos y castigo de los malos", comprendió que no debía matarlo.

Ni ueyitlanauatime zempa ki temojken ze ichpoka pampa ki nekiayan ma mo ziuajti i temazolitelpokakone. Uan zempa ni totlayi, tlen tepoztekitijketl ki ijli i pilziuakone ma mo namijti uan ni temazoli.

—Xi mo namijti iuan nopa temazolitelpokatl, uan keman tonalmikiz tij mijtiz uan kejnopa ti mo kauilizen nochi i tomintzin.

Keman ni tepitzin ziuatzin yajki ki kuito nopa ueyitepozmachete pampa ki nekiaya ki mijtiz ni temazoli, ya kuali ki itak i tlaijkuiloli: "Na ni mo uampochiua tlen kuali ki pian i yolo uan amo ni kualita tlen ax kuali tlalnamikin".

Lanzó el machete allá lejos y, desde ese momento, se dedicó a querer al sapo, a mostrarse muy cariñosa con él y a procurarlo mucho.

Para esto, y antes de que se me olvide, había en palacio una gata vieja, barcinita, que todos trataban mal. La niña comenzó a mimarla y la gatita se engrió mucho con ella, así que los tres vivían felices: la gata, la niña y el sapo, pues pasaban la vida jugando, durmiendo y comiendo.

Yaka ax ki mijti ni temazoli, uan pejki ki tlazojtla i temazoli, i telpokatemazoli.

Ni kilkauayaya ni kijtoz; ni ueyitlanauatime no ki piayan ze ueyikali, uan ki pixtoyayan ze lamajmizi i tokan Barcinita. Miakin amo ki kualitayayan ni lamajmizton. Ni ichpoka, tlen i ziua ni temazoli, ya kena ki tlazojtlayaya. Miak pakilliztli onkayaya. Ni lamajmizton, ni ichipokatzin uan ni temazoli zan tlamauiltiayan, kochiayan uan tlakuayayan, on tlakuayayan uan kochiayan. Ajuiak.

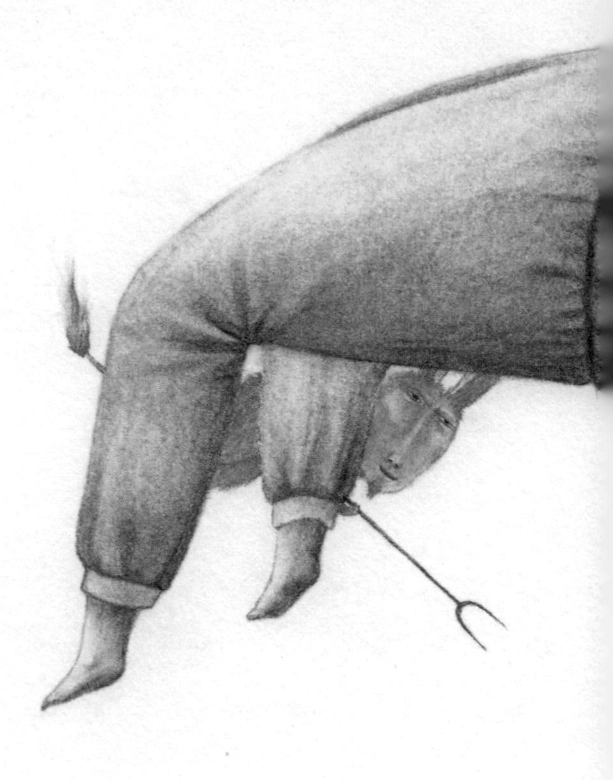

Y así fue como sucedió que una vez, estando los tres juntos en la recámara, se oyó un estruendo muy espantoso y apareció doña Pancha con todo y escoba. Y es que, como hechicera que era, traspasó las paredes sin quebrarlas; en seguida cogió al príncipe sapo, se lo guardó en la bolsa, se montó en su escoba y dijo:

—Sin Dios ni Santa María —cerró los ojos, echó un volido y se fue como había llegado.

Zan zejko kalijtik itztoyayan keman kakaztik ze chikauak tlatoponiliztli, eliaya Nana Pancha, aziko pan i tlachpanakuauitl, ken ze ziuanauali mo nexti pan ni ueyikali, ki itzki ni temazoli, ki tlali pan i mojmorral, tlejko pan i tlachpanakuauitl uan ki ijto:

—Yon Totiotzin, yon Santa María —mo ixtzakuajki, tlapetlanki uan axtlen. Yajki.

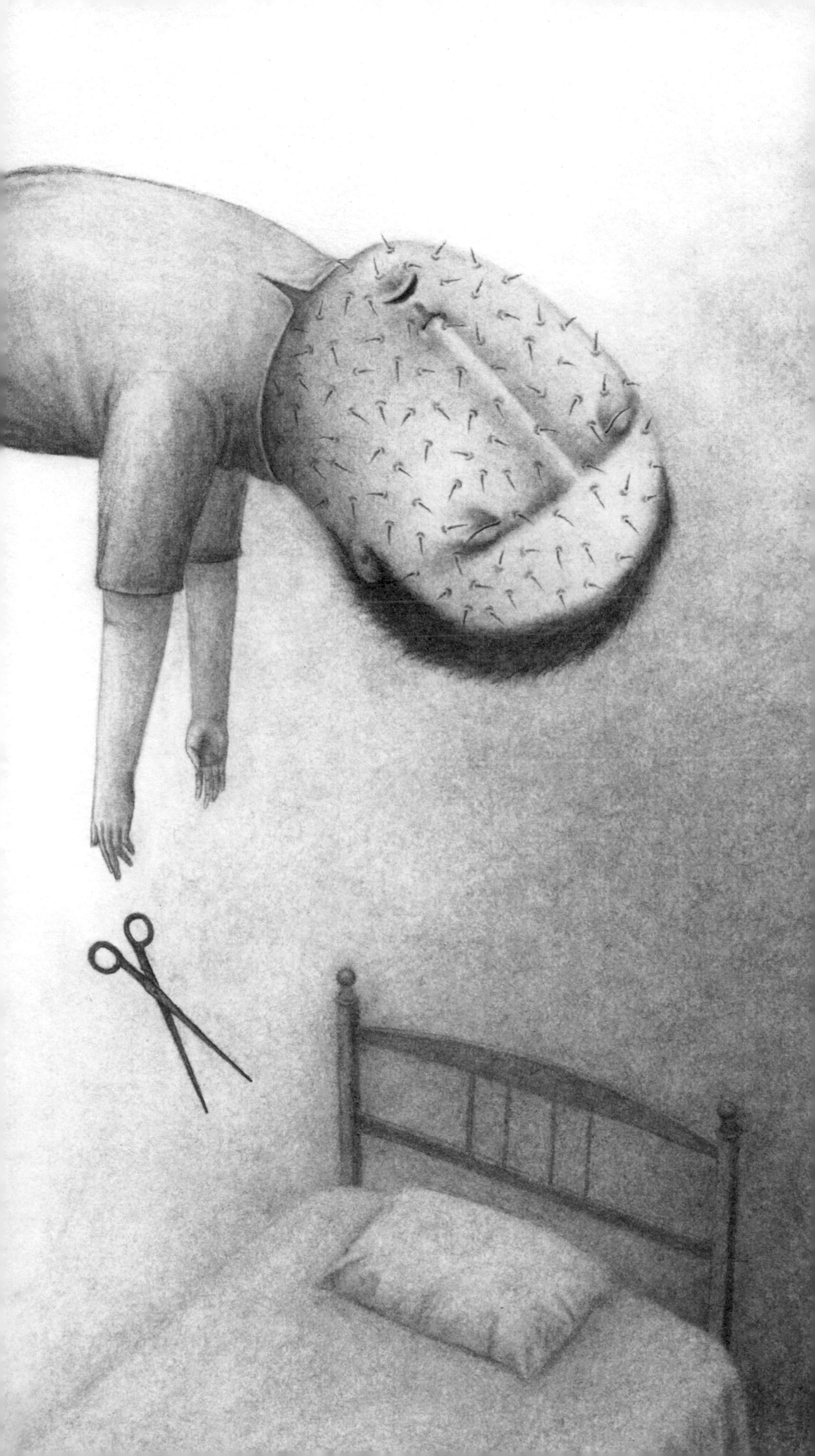

La niña se puso a llorar y a llamar al sapo por el balcón; el príncipe asomó la cabeza queriendo decir algo, pero doña Pancha la hechicera le tapó la boca y volando, volando, desapareció.

A los gritos de la niña acudió la guardia, y como de la hechicera ya ni su luz, ni quién le creyera a la niña que doña Pancha se lo hubiera llevado, antes todos pensaron que lo había matado o perdido de algún modo.

Ni ichpokatzin mo kuezo uan ki nojnotzayaya i ueue, i temazoli. Ni telpokatemazolitlanauatini ki kixti i tzontekon, ki nekiaya ki nankiliz i ziua uan ni ziuanauali amo ki kauili, ki kamatzakuajki uan patlanki, yajki.

Topilme ki kajken ni i chpoka i tzajtziliz uan ki itaton. Axakan ki neltokak tlen ni ichpoka i tlajtol. Ni ziuanauali yajtoyaya, axakan ki itak. Nochi ki ijtojken ni ichpoka ki mijti i temazoli, ni temazolitelpokatzin.

Le formaron juicio y la niña en balde se defendió; todos la declararon culpable por la desaparición del príncipe sapo y la condenaron a echarla viva al "pozo de los ratones".

Cuando llegó la hora de que se cumpliera la sentencia le preguntaron cuál era su última voluntad, a lo que la niña, que nada tenía de tonta, contestó:

—Que me echen al pozo con todo y mi gatita.

Y su deseo le fue concedido; la echaron de cabeza al pozo con todo y la gata vieja.

Mo zentilijken tlen topilme, tlanauatime, ueyitlanauatime uan ki ijtojken ni ichipoka fiero tlachijki. Ma tij tzakuakan kan kimichime i chan, kan "kimichime i oztotlkali".

Keman ya ki kuatopeuazen ki ijlijken ¿Tlen tij neki? Xi tech tlajtlani. Zan ze tlamantli xi kijto, uan ni ichpoka tlauel tlalnamikiaya yaka ki ijto:

—Ma nech tzakuakan uan no lamajmizton; kejnopa ki nejki, uan kejnopa ki chijken.

Ki kuatopejken ni ichpokatzin uan i lamajmizton.

En cuanto llegó abajo, una porción de ratones se le subieron encima para comérsela, pero no contaban con la gata, y ésta se dedicó a hacer chuza entre tanto ratón; los ratones, del susto —¡qué gritos no darían!—, hicieron venir al ratón mayor, y éste, al ver los destrozos de la gata, dijo:

—Alto allí, ya no me coma más gente. Vamos a ver, ¿qué motivos dieron para que nos las echaran?, ¿cuál es su causa?

Keman azito ne kimichime i oztotlkali, miakin kimichime tlejkojken pan i tlakayo, ayamo ki itayayan nopa lamajmizi uan ya ki paleui ni ichpoka. Tlauel mo majmatijken ni kimichimen —tzajtziayan—, yaka ki nojnotzken tlen ueyitlamatinikimichin; uan ya mo zanilo iuan ni lamajmizton:

—Xi mo yolzeui lamajmizi, amo xi tech kua, xi nech ijli ¿kenke nikan mitz tzakuajken, tlen tij chijki? ¿Tlen ki chijki ni ziuatzin?

La niña le contó al ratón cómo doña Pancha la hechicera se había llevado al sapo y todo lo demás. El ratón, ya que la hubo escuchado, le dijo:

—Bueno, por lo pronto les perdonamos la vida, mientras indago si es cierto lo que me dices, pero onde me hayas engañado, ¡ay de ti y de tu gata, nos las comeremos hasta los huesos, así tenga yo que llamar a todos los ratones del mundo!

Ni ichpoka, ni ziuatzin ki ijli ueyitlamatinikimichin i kuezoli, ken ne ziuanauali i tokan Nana Pancha ki uikak i ueue, i telpokatemazolitlanauatini. Ni ueyitlamatinikimichin ki kajki ni ichpoka i tlajtol uan ya ki ijto:

—Amo tlen ti mitz chiuilizen ¡amo xi nech kajkayaua, ni kitati tlaj nelia tlen ti nech ijli uan tlaj ti tech kajkayajtok tij nojnotzazen nochi kimichimen tlen onka pan ni tlaltipaktli uan ni kin titlaniz ma mitz kuakan, uan no tij kuazen ni mo lamajmizton!

En seguida se presentaron muchísimos ratones, y el mayor los mandó a que corrieran mundo, a ver si realmente existía doña Pancha la hechicera.

Y por lo pronto dejaremos allí a la niña y a la gata, para ocuparnos de los ratones.

Pues que los ratoncitos entraban por un agujero, salían por otro, entraban a los palacios y a los mesones, pero no daban con doña Pancha.

Ualajen miak kimichime, ni ueyitlamatinikimichin kin titlani ma yakan ma ki itakan tlaj nelia onkayaya ze ziuanauali tlen mo tokaltia Nana Pancha.

Aman pan ni poali achi tij kauazen ni ichpoka uan i lamajmitzon pampa mo neki tij matizen tlen ki chiuazen kimichime.

Ki temoton Nana Pancha uan ax tlen. Ki temoan pan ueyikalimen uan axtlen, pan tlamazeualkalmen uan axtlen, ax itztoyaya Nana Pancha.

Por fin, como los ratoncitos por dondequiera andaban parando oreja, que oyen a dos viejas chismosas platicar. Y que una le decía a la otra señalando un sendero:

—Por allí se va con doña Pancha la hechicera, para cuando se te llegue a ofrecer algún remedio.

Los ratoncitos se pusieron vivillos, siguieron el sendero y llegaron a una cueva.

Neka youin kimichimen, neka ualan kimichimen uan axtlen. Aziton kan itztoyayan ome ueyinanamen tlen mo ijliayan:

—Keman tij nekiz ti mo pajchiuiliz xia iuan Nana Pancha, xij totoka xitlauak ni ojtli.

Ni kimichimen no ki totokaken nopa ojtli uan ki aziton ze oztotlkali.

Allí encontraron a doña Pancha haciendo menjurjes con hierbas venenosas, después vieron que hacía en el suelo un agujero con el tacón de su zapato y descubría una cerradura que, al fin de no sé qué tanta vuelta de llave, abría tamaño boquete y aparecía un sótano donde había muchos animales feos y bonitos, grandes y chiquitos, y que doña Pancha se burlaba de ellos, diciéndoles:

Si los perros no ladraran,
si los gallos no cantaran,
si las doce de la noche no dieran,
qué felices fueran,
ja, ja, ja, ja, ja.

Pan nopa oztotlkali itztoyaya Nana Pancha, pan ze ueyi chachapali tlapajchiuayaya: ki tlaliliaya atl uan tlen amokualixiouime. Kenopa ki itaken ni kimichime uan no ki itaken ken ka ze i ijxi ni ziuanauali ki tlatiaya ze piloztotl. Tlatzintla i chan onkayaya zeyok piloztol kani ki tzakuajtoyaya miak piltekuanimen. Nana Pancha kin paktiaya:

Tlaj chichimen ayok keman tlaajuazen,
tlaj kuapelech ayok keman kuatzajtziz,
tlaj ayok keman mo tlajkoyoalchiuaz,
ayok keman on tlamazeuazen,
ja, ja, ja, ja, ja.

En seguida les echaba de comer, tapaba el hoyo, lo aseguraba bajo llave y el llavero se lo metía en la frente, y entonces se acostaba a dormir.

Los ratoncitos ya no se esperaron a ver más, sino que a toda carrera se fueron a darle cuenta al ratón mayor de lo que habían visto y oído.

Viendo el ratón que la niña había dicho la verdad, se dispuso a ayudarla; para esto ordenó que todos se trasladaran a la cueva de la hechicera. La niña y la gata también se fueron con ellos, así que todos llegaron a lomo de ratón y se encontraron a doña Pancha todavía dormida.

Nana Pancha kin tlamakayaya i piltekuanimen uan zempayok kin oztotlkaltzakauaya iuan ze i kaltzakuatepoztli. Aman Nana Pancha mo tekato. Ziajtok.

Pilkimichime peka yajken, ki ijliton nochi tlen ki itaken nopa ueyitlamatinikimichin.

Kejnopa ki neltokak tlen ni ziuaichipokatzin i tlajtol; uan ki paleui; kin titlani nochi kimichimen ma ki paleuikan; kin ijli ma yakan kan ziuanauali i chan. Ni pilziuatzin uan i lamajmizton no yajken uan keman aziton Nana Pancha nojuan kochtoyaya.

Los ratones le royeron la frente y le sacaron el manojo de llaves mientras otros ratones buscaron en el suelo la cerradura; en eso doña Pancha dio señales de querer despertarse y otros ratones le royeron el corazón para que así la cosa fuera definitiva y nunca más volviera a dar la lata. Para entonces la niña acabó de darle la vuelta a la última llave, el sótano se abrió y fueron saliendo una porción de animales, entre ellos el sapito.

Ni pilkimichimen ki kuilijken Nana Pancha i kaltzakuatepoztli uan zekinok yajken ki temoton kan eltok i pilteno ni oztolkali tlen onka tlatzintla tlen Nana Pancha i chan. Nana Pancha ki nekiaya izaz uan zan nopayok azito. Miak kimichimen ki yolkuajken ni nana, ayok keman meuaz ni nana. Ni pilziuaztin tlen tepoztekitijketl i ziuakone tlauel yolpajki pampa no tlejko i ueue, i temazotelpokaueue.

Entonces, para poder desencantarlos, mandó el ratón mayor que todos los ratoncitos se fueran hasta tantas leguas a la redonda y les amarraran los picos a los gallos, pusieran bozal a los perros y pararan todos los relojes...

Cuando llegó la medianoche, como:

Los perros no ladraron,
los gallos no cantaron y
los relojes no tocaron;
todos los animales se desencantaron.

Nochi ni piltekuanime eliayan naname, tlakame, ichpokame, telpokame tlen nana Pancha amokualpajchiuilijtoyaya; yaka ni ueyitlamatinikimichin kin ijneli; kin titlani kimichime ma ki tentzakuakan nochi chichimen, nochi kuapelech tlen onka pan ni tlaltipaktli uan zekinok kin titlani ma ki ketzakan nochi tlen onka kuauitlpoalme. Uan keman aziko tlajkoyoual:

Chichimen ax tlaajuaken,
kuapelech amo kuatzajtzik
nochi kuauitlpoalme mo ketzken;
ni piltekuanime zempa ki zelijken i neltlakayotl.

Ya se imaginarán ustedes el alboroto que se armó cuando todos los animales recuperaron su forma humana, y lo que se divirtieron antes de separarse para irse cada quien para su casa.

Allí todo fue felicidad. A los ratones les dieron un banquete de puro queso, y dicen que todavía están las cosas como estaban y que el lugar se conoce porque allí los gatos son amigos de los ratones.

Y entró por un caño,
salió por otro,
quiero que me cuentes otro.

Keman zempa ki zelijken i neltlakayotl miak pakiliztli onkak, onkak iljuitl. Nochi mo ixmatken. Tlaijuikixtijken. Peka yajken, nochi ki temoton i chan.

Aman nochi zan paktok nemin. Pilkimichimen kin makaken miak uan ajuiak i tlakual, kejnopa ki ijtoa ni to pilpoal. Kejnopa tlami to pilpoatzin. Pan ni chinanko miztomen amo ki totokan kimichimen, mo tlazojtlan, mo uampochijken. Zan zejko tlakuan. Ajuiak.

Tij zeli ka ze mo nakaz,
pan zeyok mo nakaz kiza,
zeyok mo pilpoal nij neki nij kakiza.